BRAIN TWISTERS

SUDOKU
PUZZLES

This edition published in 2022 by
Arcturus Publishing Limited
26/27 Bickels Yard, 151–153 Bermondsey Street,
London SE1 3HA

Jacket illustrator: Richard Watson
Interior illustrations: Shutterstock
Text: Puzzle Press
Design: Everitt Editorial
Editor: Donna Gregory
Design Manager: Jessica Holliland
Managing Editor: Joe Harris

CH010483NT
Supplier 10, Date 0622, Print run 00000807

Printed in the UK

CONTENTS

HOW TO PLAY SUDOKU

Sudoku puzzles are grid-based puzzles. They're great fun, and you don't need to be good at addition to solve them. Every grid is made up of rows, columns, and boxes of squares.

Here is an empty, small grid, showing you the rows, columns, and boxes:

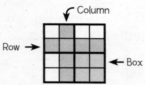

This small-size grid above uses the numbers 1, 2, 3, and 4. Fill it in so that each row, column, and box contains a 1, 2, 3, and 4.

Here is an empty, medium grid, showing you the rows, columns, and boxes:

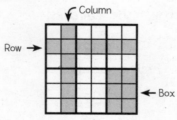

The medium-size grid above uses the numbers 1, 2, 3, 4, 5, and 6. Fill it in so that each row, column, and box contains a 1, 2, 3, 4, 5, and 6.

Here is an empty, large grid, showing you the rows, columns, and boxes:

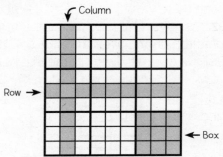

Here is an empty large grid, showing you the rows, columns, and boxes. This size grid uses the numbers 1, 2, 3, 4, 5, 6, 7, 8, and 9. Fill it in so that each row, column, and box contains a 1, 2, 3, 4, 5, 6, 7, 8, and 9.

It's best to start with the smaller puzzles until you know how to play, then move up to the next size. Before long, you'll be ready to tackle even the larger Sudoku puzzles!

When you first start a Sudoku puzzle, you will see a grid, with some numbers already filled in. Here is an example:

You have to fill in the rest of the numbers.

If you look at the grid below, you could start by thinking about which number should go in the top right corner:

There is another number in the right-hand column at the bottom, a 1. This means that the number can't be a 1 (otherwise there would be two 1s in that column). And there is already a 2 and a 3 in the top row, so the number in the top right corner must be a 4. Once we have filled this in, we can see that the last number to fit in the top row is a 1, which goes next to the 2, just like this:

1	2	3	4
		4	
	3		1

Now look at the box in the top right. Can you tell where the 1 should go? It can't go below the 4, because of the 1 already in that column, so it can only go below the 3. The number in the remaining space must be a 2, to give you the numbers 1, 2, 3, and 4 in that box:

1	2	3	4
		1	2
		4	
	3		1

The remaining number in the far right column is a 3, and that goes in the remaining square:

1	2	3	4
		1	2
		4	3
	3		1

You could now go on to fill in the remaining number in the third column, a 2. The obvious next step is to fill in the last number in the bottom row— a 4.

After that, look at the third row, and decide where you think the 2 should be. It can't be in the second column, because there is already a 2 in the second column, so it must be in the first column.

When you've done that, the grid should look like this:

1	2	3	4
		1	2
2		4	3
4	3	2	1

You can see the remaining square in the bottom left box must be a 1:

1	2	3	4
		1	2
2	1	4	3
4	3	2	1

From here, it's easy to fill in the two remaining numbers, a 3 and a 4, into the top left box; and the finished puzzle looks like this:

1	2	3	4
3	4	1	2
2	1	4	3
4	3	2	1

Solutions to all of the puzzles can be found at the back of the book.

1

	4		2
2	3		
3			1
		2	

2

3	4	2	
	1		4
		1	
	3	4	

3

		2	1
	2	4	
			4
3	4		

4

4		3	1
	3		
2		4	
	4		2

5

		4	3
3	4		
			1
	3	2	

6

4		1	3
	1		
		3	
1	3		4

7

2			4
		1	
	4		3
3		4	

8

		4	
	4	3	2
	1		
	3		4

9

	4		3
			1
3	2		
4			2

10

			1
1	2		
2		1	3
		4	

11

3		2	
4		3	
	3		2
	4	1	

12

		4	
3			
2			4
		1	2

	4		5	2	
3		2			4
6			4	5	
	6	5			1
4			2		5
	3	4		6	

5	2		3	4	
		4		2	
1			2		6
6		2			4
	1		6		
	5	1		6	3

		5	3		1
1		4			
5		1	6	2	
	1	3	4		6
			1		2
3		2	5		

16

3			4	2	
4		3		1	5
1			5		
		2			4
5	3		1		2
	4	5			1

17

3		2			6
	6	3		5	
4			5	3	
	3	4			5
	2		3	4	
5			6		3

18

	5	3		6	4
				2	
3	2	4			5
5			1	4	6
	6				
4	1		3	5	

19

2		1		6	
6			3	4	5
	3	6			
			1	3	
3	5	4			6
	2		6		4

20

	5				4
		5	2		6
6		4		5	1
2	3		1		5
5		2	4		
1				6	

21

			4		3
3	4		5		2
	1	3			5
4			2	3	
6		5		2	4
1		4			

22

6		4	5		
2	3	6		5	4
		3			
			3		
5	4		6	3	1
		1	4		5

23

3		6	2	4	
4			5		6
1	6			2	
	4			5	3
2		5			4
	3	4	6		2

24

		1		5	
3	4		5		2
		3	2	4	6
5	3	2	1		
2		4		3	5
	6		3		

25

2	3	1			5
6			3	1	
			5		2
5		3			
	1	4			6
4			1	2	3

26

	3			1	4
6		4		2	
1		2			5
3			6		1
	6		4		2
4	1			5	

27

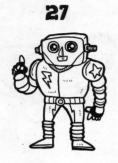

8					7		2	1
6		2		8	5	9	4	
	7	1	4	3		6	5	
	6	7		4	9			
5		3				4		9
			5	7		2	1	
	8	5		2	1	7	6	
	1	9	3	6		5		2
2	4		7					3

28

6	7	2	5		9		4	8
8					2	5	3	
		3		8	6		9	7
3		9		2		7		5
	8						6	
4		5		7		3		1
1	3		8	9		6		
	2	6	4					9
9	5		2		1	4	7	3

★☆☆

29

		1		9		3		5
	3				2	7	9	6
4				6	5		1	
1		4	8		3	9	6	
7	9	6				8	5	3
	8	2	6		9	1		4
	4		5	1				9
9	6	7	2				3	
5		8		3		4		

30

7	3				5	9	1	2
	9	4		1	2		7	
1		2			7	4	3	5
8			5		9	6		3
9	2			4			5	7
6		5	1		3			8
3	5	6	8			7		4
	8		7	5		3	6	
4	7	9	2				8	1

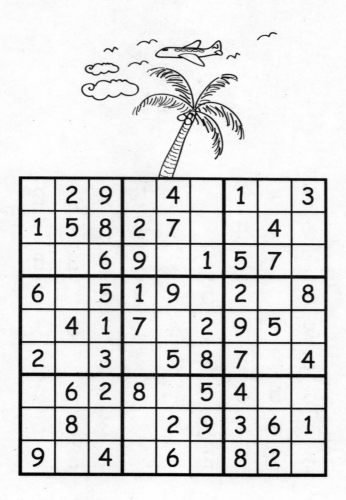

	2	9		4		1		3
1	5	8	2	7			4	
		6	9		1	5	7	
6		5	1	9		2		8
	4	1	7		2	9	5	
2		3		5	8	7		4
	6	2	8		5	4		
	8			2	9	3	6	1
9		4		6		8	2	

2				1		7	4	9
9	1	7	8	4	3	6		
		6					8	3
8		1	5	6	4			7
	4	3	2		1	9	6	
5			3	9	7	8		4
	8	9				5		
		4	9	5	8	3	7	6
6	7	5		3				8

9	7				8	2	4	1
		3	4	1			7	9
1	4		7	9		3		
6			8	4	9	1		2
	1	4		3		9	6	
3		9	5	6	1			7
		5		7	3		9	4
7	3			8	4	5		
4	9	8	6				1	3

34

4			9	7	8	2		
	9			1		3	7	8
1		7			2		6	9
6		3		4	5	8		7
8	4		1	9	7		2	3
7		9	6	8		5		4
3	5		7			1		6
9	6	8		3			4	
		1	8	6	4			5

35

6	8		5	4			3	
3	9		8	1	7			2
5		7	9		6	8		
	3		2			4		6
	1	6	7	8	3	9	2	
2		5			4		8	
		2	3		8	1		7
7			1	2	5		9	8
	6			7	9		5	3

7	8			9		1		6
1		6	7		8	5	9	
4		9	6	3				
	4	3	5		9	7		2
2	1			4			6	5
9		5	1		2	3	4	
				5	7	4		3
	7	4	9		6	2		1
5		8		1			7	9

37

9	6					7		8
8	5		6	7	9		4	3
		4	1	8	2	5		9
	4		2		8	3	5	
6				9				4
	1	3	7		6		9	
4		7	9	2	1	6		
1	8		4	5	3		2	7
2		5					3	1

	3		2	5	8		6	9
6			3				8	
4	5			9		7		2
1	4	5		2	6	8	9	
3		6	8	1	9	5		7
	8	7	5	3		6	2	1
8		3		6			5	4
	1				3			6
2	6		9	7	5		1	

39

5		9	7		4		2	6
	2	4	6		1	3		
	8	6			3	4	5	7
6		1	5		8	2		4
	4			3			6	
3		8	4		2	9		1
9	1	5	3			7	8	
		3	8		7	5	1	
8	7		9		5	6		3

★☆☆

40

3		6	8	7			9	4
4	8	9			6	7	5	
		7		9		6		8
8		5	7		9		2	6
	6			3			1	
9	3		5		2	8		7
1		4		5		9		
	2	8	9			1	6	3
6	9			8	1	4		5

41

	2		4
		2	
	1		
3		1	

42

	3		1
			2
4		1	

★★☆

43

		1	4
			3
1			
2	3		

44

	2		
3			2
	4		3
		1	

45

		3	
4			
	2		
	4	1	

46

1			3
		1	
	3		
2			4

47

	4		1
			3
1			
4			2

48

	4		3
1			
			2
3			

★★☆

49

			4
3			
	1		3
2			

50

	3	4	
1	2		
			2

★★☆

51

4			
			1
		2	
3			4

52

4		1	
	3		
	4	2	

47

53

	4		5		1
6				3	
3		6	1		
		5	3		2
	2				3
1		4		5	

54

	4				1
6		1	5	4	
		4		6	
	3		6		
	5	3	4		6
2				3	

55

1			5		
	6			5	4
5		2	4		
		4	6		5
4	5			6	
		5			3

56

6		1			3
	4		3	2	
	3				6
5				3	
	2	5		6	
4			1		2

1		2			4
	4	5		6	
			3		1
4		6			
	2		5	4	
6			4		2

58

4			1		
5		4			3
	1		2	5	
	5	1		2	
1			3		5
		6			1

59

6				3	
3			1		6
	2	3			1
2			3	1	
1		4			3
	3				4

★★☆

5		1			
	1		2	3	6
3			6	5	
	5	6			3
1	4	3		6	
			1		5

★★☆

61

	3	5		2	6
6		3		1	
1	2				
				6	5
	6		3		2
2	4		5	3	

62

3		2			
5		1			6
1	4			3	
	1			5	4
2			1		3
			6		1

63

2	3				
5		2	1		3
		3		5	
	6		3		
4		1	6		5
				1	6

64

1					2
	4	6		1	
2			3	5	
	2	5			1
	5		1	2	
3					5

	4		6		5
6					4
	5	2		3	
	2		3	5	
5					3
3		4		6	

66

5	4			2	
	6	4			3
			2	4	
	1	6			
6			3	1	
	2			6	5

★★☆

67

1					3
			1	4	
4	5		6		1
3		6		1	2
	1	2			
5					4

	2	4		6	
1			3		
	4		2		3
2		3		1	
		2			4
	3		1	2	

69

8	7	6		4		9	3	
		9			6			8
		3		9		6	1	
4	6		9	8	7			
	3	5				8	9	
			5	2	3		4	6
	1	7		6		2		
3			1			5		
	5	2		3		4	7	1

6		2					3	
7				2		9	1	
3	9	1	6	5	7	8		4
1		9		6	5		7	
	7			8			5	
	8		7	4		1		2
8		4	5	1	2	7	9	3
	3	5		7				1
	1					6		5

71

6	2			1					5
	7	1			6	8	4	3	
				5				7	1
	3	7	2						6
1				7	8	6			3
4						9	2	5	
7	4			9					
	8	9	6	3			5	1	
3					4			6	9

72

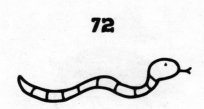

							8	2
8		3	2		6	7	4	
		1		4	5	9		
2			5			6	7	3
6	8		1		4		9	5
5	3	9			2			8
		8	9	5		1		
	9	2	6		8	3		7
1	7							

73

	6		4	5		9		3
	9	1			8	7		5
		2		7				1
4		9		2			1	6
	8		6		4		5	
7	2			1		8		4
2				8		5		
6		8	5			4	7	
9		5		4	2		6	

74

	4		2	9	7			6
	9				5	7		4
		1		4	8	9	5	2
	3	5			2			1
		9	8	7	3	6		
8			1			2	3	
4	1	3	7	8		5		
9		7	5				6	
6			9	3	4		7	

75

9		6		4		7		
2			7	8			9	6
8			6	5		3		
5			2	1			6	3
1	7		8		6		4	5
3	6			9	5			8
		1		7	8			2
7	2			6	4			9
		5		2		6		7

76

		4			9		8	1
2		6	3	5				7
		9	1	4		3		5
6	7			8		5		
	4		6		1		3	
		3		7			1	8
1		7		9	5	8		
3				1	6	9		4
4	9		8			1		

77

1				3		6		4
	5		2			8		7
6	3	8	4	7				
	9	6		5				8
		1	7		4	2		
7				6		3	9	
				8	7	9	4	2
4		9			3		8	
8		7		4				3

★★☆

78

7	3			1	8	9	6	
	6	9						8
				6	2			
4		7	3		1		8	9
3		6	7		5	1		2
1	5		4		2	6		7
		4	8					
9						8	2	
	8	2	1	3			7	6

79

3			9			8	7	
5		4		7	2		1	
1		8	3	6		9	5	
	3			9			4	
	1	7				2	8	
	4			3			6	
	2	9		8	1	4		7
	8		7	2		6		5
	5	3			9			8

80

4			6	5	8	2	1	9
1		9					6	
	6			1		4		
7		6	9		5			
	4	1		3		6	2	
			1		6	9		4
		7		9			4	
	1					7		6
3	9	5	7	6	4			2

81

8		6		4				3
3		2				9	6	
9		7			8	2		1
5			8		4		1	
		9				8		
	7		6		2			5
2		4	5			1		6
	8	5				3		2
6				2		5		4

82

5			8	3		1		9
9		1	2	7	4			
	8	4				2	3	
2				5		4		1
	9		1		7		2	
8		5		4				3
	4	8				9	1	
			4	8	1	6		2
1		6		9	5			4

83

	5			2	8			
3			1	6		4	2	
		2		5	9		8	7
9	7				3			8
	8		5	7	4		3	
5			8				1	4
2	1		9	8		6		
	4	9		3	1			2
			6	4			7	

84

6			2		1			
	7			5	9	3		6
				6	4	8	2	
7		6	3	4		1	5	2
1	4		5		2		6	3
3	2	5		9	6	4		8
	1	7	9	8				
9		3	4	1			8	
			6		3			1

★★☆

1				7	3			2
5		2		1		6	3	
	9	3	8		6		1	
	3					1		
2		8	3	6	1	7		9
		9					6	
	7		1		9	5	2	
	6	1		8		9		4
9			6	4				1

★★☆

86

	4		5	6	2	9	7	3
	3							
			9	3			6	1
		5	1		3	4	9	8
		9		5		1		
3	1	4	7		8	2		
4	5			7	9			
							4	
1	2	7	3	4	5		8	

81

87

2				6	1
	3	6			2
	6		1		
		1		3	
3			6	2	
5	4				6

88

	4				6
2			6		
6		4		2	
	6		2		4
		6			5
3				6	

★★★

89

	4	3			
2			6	3	
		4			2
6			4		
	2	6			5
			5	6	

	4		2		
3			1	2	
		4		6	
	5		4		
	2	1			3
		2		4	

91

1				3	
3		2		6	
			4	2	
	1	6			
	3		2		6
	5				2

	2			3	
3		2		1	
			3		2
5		3			
	3		4		6
	4			2	

★★★

93

		6			3
2		1		4	
			2	1	
	1	3			
	3		1		4
5			6		

94

4					6
	6		5		
5		6		2	
	2		3		5
		1		4	
6					1

95

	4	1			
		6			4
6			4	3	
	1	4			5
4			6		
			1	4	

★★★

		1			2
	2				
4			3	1	
	1	3			6
				2	
3			2		

97

4				2	
5		4		1	
			6		5
2		3			
	5		4		2
	4				1

★★★

6			5		
				5	
1	5	2			6
4			2	6	5
	6				
		6			3

99

2			4	6	
	3	2			
			5		3
1		5			
			2	5	
	5	4			2

100

	6				
5			2	4	
	2	4			3
2			6	1	
	4	2			5
				2	

101

	1		6		
3				4	6
	6	4			
			4	2	
6	4				1
		5		6	

102

	3			4	
1					3
		3	1		6
6		2	3		
5					2
	2			6	

103

	3		2				8	9
4						2		
7		9	8	5			3	1
2		5		4	8		9	
	9						1	
	6		3	9		5		4
8	5			6	1	9		2
		2						8
6	1				2		4	

	9	6					4	
2	4		3	5		8		9
	3			9				5
	6	2				4		
			1	4	5			
		1				3	9	
9				3			2	
7		5		6	4		3	8
	2					5	7	

5			7					8
4		1		5		7	3	
				9	1	5		
		5	1		4			9
	8	3		2		4	6	
1			9		6	3		
		4	8	6				
	5	8		7		1		4
7					5			3

106

4	1	7		8				
		6	4		5		7	8
							4	
	5				4	1	8	9
	4			5			3	
7	8	9	6				5	
	6							
5	9		1		3	8		
				6		4	9	2

107

		7	2	3	4	8		5
3					1			4
			5	6	9	7		
		6					4	
4			6	1	5			8
	8					1		
		1	3	5	2			
5			8					1
2		8	1	9	7	5		

108

	8				5			7
3	5							1
		7	9	3			4	
	7	3			4		1	
9			8	7	3			6
	2		1			9	7	
	9			6	7	8		
7							5	2
5			4			6		

109

		3						
2			7	3	8			9
	5	1	4	9				
1		2			7		5	3
5	3			2			8	6
6	8		3			1		7
				6	4	7	9	
7			5	1	9			4
						2		

★★★

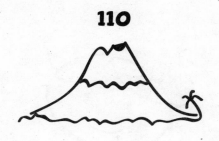

				4	1			5
8	9			3		1		
				9	2	8	6	
		8	3	2	9		1	
		9	4		8	7		
	1		6	7	5	3		
	6	7	2	5				
		1		6			7	3
4			1	8				

111

	5					3	2	
1	6	9				4	7	
		2	8	1				
5				8		6	4	
	8		7		4		1	
	2	4		3				7
				2	3	7		
	9	8				1	3	4
	3	5					6	

112

3				7	2			4
7	2		4				8	
		6				7		1
1	7			4		9		3
	4		9		5		7	
9		3		1			4	2
2		7				4		
	1				7		9	6
5			1	2				7

113

8					3		5	9
		2		6	7		8	
9	4				8			
	5		6					1
3	1		4	7	5		2	6
6					2		9	
			7				3	2
	8		2	9		4		
1	2		3					8

114

5		3						4
	6		8				7	5
7		8			9	2		
			2		3	8		1
8		9				6		2
1		2	6		4			
		1	4			3		7
6	8				1		2	
3						5		8

★★★

115

9		8	5	2			3	7
1	5			6		9		
					7		1	
		5					9	6
	1		6	3	2		7	
6	4					8		
	8		4					
		6		1			4	8
4	7			8	5	2		3

8								4
9	6		3				2	
4				7		8	3	
1			8	9		4		
	4		2	5	6		1	
		8		3	1			9
	9	7		4				2
	8				3		4	5
5								1

117

	5	7	8				3	
8					7	5		1
		1	2	4		7		
4				5	2			
7		9		1		4		2
			4	8				6
		4		7	8	6		
1		8	5					3
	9				4	1	8	

★★★

118

		6		1				5
	8	9		3	4		1	
		4				9	8	6
	7					8	2	
	4		7	8	6		5	
	9	1					7	
9	5	7				2		
	6		3	2		5	9	
3				9		4		

113

119

4		8	9		5		2	
3				6			7	4
	7	5	3		1	8		
	1		8					
		3		2		6		
					6		9	
		6	5		4	2	1	
9	8			1				3
	5		7		3	9		6

1

1	4	3	2
2	3	1	4
3	2	4	1
4	1	2	3

1

2

3	4	2	1
2	1	3	4
4	2	1	3
1	3	4	2

2

3

4	3	2	1
1	2	4	3
2	1	3	4
3	4	1	2

3

4

4	2	3	1
1	3	2	4
2	1	4	3
3	4	1	2

4

5

2	1	4	3
3	4	1	2
4	2	3	1
1	3	2	4

5

6

4	2	1	3
3	1	4	2
2	4	3	1
1	3	2	4

6

7

2	1	3	4
4	3	1	2
1	4	2	3
3	2	4	1

7

8

3	2	4	1
1	4	3	2
4	1	2	3
2	3	1	4

8

9

1	4	2	3
2	3	4	1
3	2	1	4
4	1	3	2

9

Solutions!

10

4	3	2	1
1	2	3	4
2	4	1	3
3	1	4	2

11

3	1	2	4
4	2	3	1
1	3	4	2
2	4	1	3

12

1	2	4	3
3	4	2	1
2	1	3	4
4	3	1	2

13

1	4	3	5	2	6
3	5	2	6	1	4
6	2	1	4	5	3
2	6	5	3	4	1
4	1	6	2	3	5
5	3	4	1	6	2

14

5	2	6	3	4	1
3	6	4	1	2	5
1	4	5	2	3	6
6	3	2	5	1	4
4	1	3	6	5	2
2	5	1	4	6	3

15

6	2	5	3	4	1
1	3	4	2	6	5
5	4	1	6	2	3
2	1	3	4	5	6
4	5	6	1	3	2
3	6	2	5	1	4

16

3	5	1	4	2	6
4	6	3	2	1	5
1	2	6	5	4	3
6	1	2	3	5	4
5	3	4	1	6	2
2	4	5	6	3	1

17

3	5	2	4	1	6
2	6	3	1	5	4
4	1	6	5	3	2
1	3	4	2	6	5
6	2	5	3	4	1
5	4	1	6	2	3

18

1	5	3	2	6	4
6	4	1	5	2	3
3	2	4	6	1	5
5	3	2	1	4	6
2	6	5	4	3	1
4	1	6	3	5	2

2	4	1	5	6	3
6	1	2	3	4	5
5	3	6	4	2	1
4	6	5	1	3	2
3	5	4	2	1	6
1	2	3	6	5	4

19

3	5	1	6	2	4
4	1	5	2	3	6
6	2	4	3	5	1
2	3	6	1	4	5
5	6	2	4	1	3
1	4	3	5	6	2

20

5	6	2	4	1	3
3	4	1	5	6	2
2	1	3	6	4	5
4	5	6	2	3	1
6	3	5	1	2	4
1	2	4	3	5	6

21

6	1	4	5	2	3
2	3	6	1	5	4
4	5	3	2	1	6
1	6	5	3	4	2
5	4	2	6	3	1
3	2	1	4	6	5

22

3	5	6	2	4	1
4	2	1	5	3	6
1	6	3	4	2	5
6	4	2	1	5	3
2	1	5	3	6	4
5	3	4	6	1	2

23

6	2	1	4	5	3
3	4	6	5	1	2
1	5	3	2	4	6
5	3	2	1	6	4
2	1	4	6	3	5
4	6	5	3	2	1

24

2	3	1	4	6	5
6	5	2	3	1	4
1	4	6	5	3	2
5	2	3	6	4	1
3	1	4	2	5	6
4	6	5	1	2	3

25

2	3	6	5	1	4
6	5	4	1	2	3
1	4	2	3	6	5
3	2	5	6	4	1
5	6	1	4	3	2
4	1	3	2	5	6

26

8	5	4	6	9	7	3	2	1
6	3	2	1	8	5	9	4	7
9	7	1	4	3	2	6	5	8
1	6	7	2	4	9	8	3	5
5	2	3	8	1	6	4	7	9
4	9	8	5	7	3	2	1	6
3	8	5	9	2	1	7	6	4
7	1	9	3	6	4	5	8	2
2	4	6	7	5	8	1	9	3

27

Solutions!

28

6	7	2	5	3	9	1	4	8
8	9	1	7	4	2	5	3	6
5	4	3	1	8	6	2	9	7
3	1	9	6	2	4	7	8	5
2	8	7	3	1	5	9	6	4
4	6	5	9	7	8	3	2	1
1	3	4	8	9	7	6	5	2
7	2	6	4	5	3	8	1	9
9	5	8	2	6	1	4	7	3

29

6	2	1	7	9	8	3	4	5
8	3	5	1	4	2	7	9	6
4	7	9	3	6	5	2	1	8
1	5	4	8	7	3	9	6	2
7	9	6	4	2	1	8	5	3
3	8	2	6	5	9	1	7	4
2	4	3	5	1	7	6	8	9
9	6	7	2	8	4	5	3	1
5	1	8	9	3	6	4	2	7

30

7	3	8	4	6	5	9	1	2
5	9	4	3	1	2	8	7	6
1	6	2	9	8	7	4	3	5
8	1	7	5	2	9	6	4	3
9	2	3	6	4	8	1	5	7
6	4	5	1	7	3	2	9	8
3	5	6	8	9	1	7	2	4
2	8	1	7	5	4	3	6	9
4	7	9	2	3	6	5	8	1

31

7	2	9	5	4	6	1	8	3
1	5	8	2	7	3	6	4	9
4	3	6	9	8	1	5	7	2
6	7	5	1	9	4	2	3	8
8	4	1	7	3	2	9	5	6
2	9	3	6	5	8	7	1	4
3	6	2	8	1	5	4	9	7
5	8	7	4	2	9	3	6	1
9	1	4	3	6	7	8	2	5

32

2	3	8	6	1	5	7	4	9
9	1	7	8	4	3	6	5	2
4	5	6	7	2	9	1	8	3
8	9	1	5	6	4	2	3	7
7	4	3	2	8	1	9	6	5
5	6	2	3	9	7	8	1	4
3	8	9	4	7	6	5	2	1
1	2	4	9	5	8	3	7	6
6	7	5	1	3	2	4	9	8

33

9	7	6	3	5	8	2	4	1
5	8	3	4	1	2	6	7	9
1	4	2	7	9	6	3	5	8
6	5	7	8	4	9	1	3	2
8	1	4	2	3	7	9	6	5
3	2	9	5	6	1	4	8	7
2	6	5	1	7	3	8	9	4
7	3	1	9	8	4	5	2	6
4	9	8	6	2	5	7	1	3

34

4	3	6	9	7	8	2	5	1
5	9	2	4	1	6	3	7	8
1	8	7	3	5	2	4	6	9
6	1	3	2	4	5	8	9	7
8	4	5	1	9	7	6	2	3
7	2	9	6	8	3	5	1	4
3	5	4	7	2	9	1	8	6
9	6	8	5	3	1	7	4	2
2	7	1	8	6	4	9	3	5

35

6	8	1	5	4	2	7	3	9
3	9	4	8	1	7	5	6	2
5	2	7	9	3	6	8	1	4
8	3	9	2	5	1	4	7	6
4	1	6	7	8	3	9	2	5
2	7	5	6	9	4	3	8	1
9	5	2	3	6	8	1	4	7
7	4	3	1	2	5	6	9	8
1	6	8	4	7	9	2	5	3

36

7	8	2	4	9	5	1	3	6
1	3	6	7	2	8	5	9	4
4	5	9	6	3	1	8	2	7
8	4	3	5	6	9	7	1	2
2	1	7	8	4	3	9	6	5
9	6	5	1	7	2	3	4	8
6	9	1	2	5	7	4	8	3
3	7	4	9	8	6	2	5	1
5	2	8	3	1	4	6	7	9

37

9	6	2	5	3	4	7	1	8
8	5	1	6	7	9	2	4	3
3	7	4	1	8	2	5	6	9
7	4	9	2	1	8	3	5	6
6	2	8	3	9	5	1	7	4
5	1	3	7	4	6	8	9	2
4	3	7	9	2	1	6	8	5
1	8	6	4	5	3	9	2	7
2	9	5	8	6	7	4	3	1

38

7	3	1	2	5	8	4	6	9
6	9	2	3	4	7	1	8	5
4	5	8	6	9	1	7	3	2
1	4	5	7	2	6	8	9	3
3	2	6	8	1	9	5	4	7
9	8	7	5	3	4	6	2	1
8	7	3	1	6	2	9	5	4
5	1	9	4	8	3	2	7	6
2	6	4	9	7	5	3	1	8

39

5	3	9	7	8	4	1	2	6
7	2	4	6	5	1	3	9	8
1	8	6	2	9	3	4	5	7
6	9	1	5	7	8	2	3	4
2	4	7	1	3	9	8	6	5
3	5	8	4	6	2	9	7	1
9	1	5	3	4	6	7	8	2
4	6	3	8	2	7	5	1	9
8	7	2	9	1	5	6	4	3

40

3	1	6	8	7	5	2	9	4
4	8	9	3	2	6	7	5	1
2	5	7	1	9	4	6	3	8
8	4	5	7	1	9	3	2	6
7	6	2	4	3	8	5	1	9
9	3	1	5	6	2	8	4	7
1	7	4	6	5	3	9	8	2
5	2	8	9	4	7	1	6	3
6	9	3	2	8	1	4	7	5

41

1	2	3	4
4	3	2	1
2	1	4	3
3	4	1	2

42

2	3	4	1
1	4	3	2
3	1	2	4
4	2	1	3

43

3	2	1	4
4	1	2	3
1	4	3	2
2	3	4	1

44

4	2	3	1
3	1	4	2
1	4	2	3
2	3	1	4

45

2	1	3	4
4	3	2	1
1	2	4	3
3	4	1	2

Solutions!

1	2	4	3
3	4	1	2
4	3	2	1
2	1	3	4

46

3	4	2	1
2	1	4	3
1	2	3	4
4	3	1	2

47

2	4	1	3
1	3	2	4
4	1	3	2
3	2	4	1

48

1	2	3	4
3	4	1	2
4	1	2	3
2	3	4	1

49

4	1	2	3
2	3	4	1
1	2	3	4
3	4	1	2

50

4	1	3	2
2	3	4	1
1	4	2	3
3	2	1	4

51

4	2	1	3
1	3	4	2
2	1	3	4
3	4	2	1

52

2	4	3	5	6	1
6	1	2	4	3	5
3	5	6	1	2	4
4	6	5	3	1	2
5	2	1	6	4	3
1	3	4	2	5	6

53

3	4	6	2	5	1
6	2	1	5	4	3
5	1	4	3	6	2
4	3	2	6	1	5
1	5	3	4	2	6
2	6	5	1	3	4

54

55

1	4	6	5	3	2
2	6	1	3	5	4
5	3	2	4	1	6
3	1	4	6	2	5
4	5	3	2	6	1
6	2	5	1	4	3

56

6	5	1	2	4	3
1	4	6	3	2	5
2	3	4	5	1	6
5	1	2	6	3	4
3	2	5	4	6	1
4	6	3	1	5	2

57

1	3	2	6	5	4
2	4	5	1	6	3
5	6	4	3	2	1
4	1	6	2	3	5
3	2	1	5	4	6
6	5	3	4	1	2

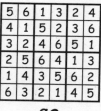

58

4	3	5	1	6	2
5	2	4	6	1	3
6	1	3	2	5	4
3	5	1	4	2	6
1	6	2	3	4	5
2	4	6	5	3	1

59

6	1	5	4	3	2
3	5	2	1	4	6
4	2	3	6	5	1
2	4	6	3	1	5
1	6	4	5	2	3
5	3	1	2	6	4

60

5	6	1	3	2	4
4	1	5	2	3	6
3	2	4	6	5	1
2	5	6	4	1	3
1	4	3	5	6	2
6	3	2	1	4	5

61

4	3	5	1	2	6
6	5	3	2	1	4
1	2	4	6	5	3
3	1	2	4	6	5
5	6	1	3	4	2
2	4	6	5	3	1

62

3	6	2	4	1	5
5	2	1	3	4	6
1	4	6	5	3	2
6	1	3	2	5	4
2	5	4	1	6	3
4	3	5	6	2	1

63

2	3	6	5	4	1
5	4	2	1	6	3
6	1	3	4	5	2
1	6	5	3	2	4
4	2	1	6	3	5
3	5	4	2	1	6

Solutions!

64

1	3	4	5	6	2
5	4	6	2	1	3
2	6	1	3	5	4
6	2	5	4	3	1
4	5	3	1	2	6
3	1	2	6	4	5

65

2	4	3	6	1	5
6	3	5	1	2	4
1	5	2	4	3	6
4	2	6	3	5	1
5	6	1	2	4	3
3	1	4	5	6	2

66

5	4	3	6	2	1
2	6	4	1	5	3
1	3	5	2	4	6
4	1	6	5	3	2
6	5	2	3	1	4
3	2	1	4	6	5

67

1	6	4	2	5	3
2	3	5	1	4	6
4	5	3	6	2	1
3	4	6	5	1	2
6	1	2	4	3	5
5	2	1	3	6	4

68

3	2	4	5	6	1
1	5	6	3	4	2
6	4	1	2	5	3
2	6	3	4	1	5
5	1	2	6	3	4
4	3	5	1	2	6

69

8	7	6	2	4	1	9	3	5
1	4	9	3	5	6	7	2	8
5	2	3	7	9	8	6	1	4
4	6	1	9	8	7	3	5	2
2	3	5	6	1	4	8	9	7
7	9	8	5	2	3	1	4	6
9	1	7	4	6	5	2	8	3
3	8	4	1	7	2	5	6	9
6	5	2	8	3	9	4	7	1

70

6	4	2	1	9	8	5	3	7
7	5	8	4	2	3	9	1	6
3	9	1	6	5	7	8	2	4
1	2	9	3	6	5	4	7	8
4	7	6	2	8	1	3	5	9
5	8	3	7	4	9	1	6	2
8	6	4	5	1	2	7	9	3
9	3	5	8	7	6	2	4	1
2	1	7	9	3	4	6	8	5

71

6	2	4	1	7	3	8	9	5
5	7	1	9	6	8	4	3	2
8	9	3	4	5	2	6	7	1
9	3	7	2	4	5	1	8	6
1	5	2	7	8	6	9	4	3
4	6	8	3	1	9	2	5	7
7	4	6	5	9	1	3	2	8
2	8	9	6	3	7	5	1	4
3	1	5	8	2	4	7	6	9

72

9	4	6	3	7	1	5	8	2
8	5	3	2	9	6	7	4	1
7	2	1	8	4	5	9	3	6
2	1	4	5	8	9	6	7	3
6	8	7	1	3	4	2	9	5
5	3	9	7	6	2	4	1	8
3	6	8	9	5	7	1	2	4
4	9	2	6	1	8	3	5	7
1	7	5	4	2	3	8	6	9

Solutions!

73

8	6	7	4	5	1	9	2	3
3	9	1	2	6	8	7	4	5
5	4	2	9	7	3	6	8	1
4	5	9	8	2	7	3	1	6
1	8	3	6	9	4	2	5	7
7	2	6	3	1	5	8	9	4
2	7	4	1	8	6	5	3	9
6	1	8	5	3	9	4	7	2
9	3	5	7	4	2	1	6	8

74

5	4	8	2	9	7	3	1	6
2	9	6	3	1	5	7	8	4
3	7	1	6	4	8	9	5	2
7	3	5	4	6	2	8	9	1
1	2	9	8	7	3	6	4	5
8	6	4	1	5	9	2	3	7
4	1	3	7	8	6	5	2	9
9	8	7	5	2	1	4	6	3
6	5	2	9	3	4	1	7	8

75

9	5	6	3	4	2	7	8	1
2	3	4	7	8	1	5	9	6
8	1	7	6	5	9	3	2	4
5	4	8	2	1	7	9	6	3
1	7	9	8	3	6	2	4	5
3	6	2	4	9	5	1	7	8
6	9	1	5	7	8	4	3	2
7	2	3	1	6	4	8	5	9
4	8	5	9	2	3	6	1	7

76

5	3	4	7	6	9	2	8	1
2	1	6	3	5	8	4	9	7
7	8	9	1	4	2	3	6	5
6	7	1	9	8	3	5	4	2
8	4	5	6	2	1	7	3	9
9	2	3	5	7	4	6	1	8
1	6	7	4	9	5	8	2	3
3	5	8	2	1	6	9	7	4
4	9	2	8	3	7	1	5	6

77

1	7	2	9	3	8	6	5	4
9	5	4	2	1	6	8	3	7
6	3	8	4	7	5	1	2	9
2	9	6	3	5	1	4	7	8
3	8	1	7	9	4	2	6	5
7	4	5	8	6	2	3	9	1
5	6	3	1	8	7	9	4	2
4	1	9	5	2	3	7	8	6
8	2	7	6	4	9	5	1	3

78

7	3	5	2	1	8	9	6	4
2	6	9	5	4	3	7	1	8
8	4	1	9	7	6	2	5	3
4	2	7	3	6	1	5	8	9
3	9	6	7	8	5	1	4	2
1	5	8	4	9	2	6	3	7
6	1	4	8	2	7	3	9	5
9	7	3	6	5	4	8	2	1
5	8	2	1	3	9	4	7	6

79

3	6	2	9	1	5	8	7	4
5	9	4	8	7	2	3	1	6
1	7	8	3	6	4	9	5	2
8	3	6	2	9	7	5	4	1
9	1	7	4	5	6	2	8	3
2	4	5	1	3	8	7	6	9
6	2	9	5	8	1	4	3	7
4	8	1	7	2	3	6	9	5
7	5	3	6	4	9	1	2	8

80

4	7	3	6	5	8	2	1	9
1	5	9	4	7	2	3	6	8
8	6	2	3	1	9	4	5	7
7	2	6	9	4	5	8	3	1
9	4	1	8	3	7	6	2	5
5	3	8	1	2	6	9	7	4
6	8	7	2	9	1	5	4	3
2	1	4	5	8	3	7	9	6
3	9	5	7	6	4	1	8	2

81

8	1	6	2	4	9	7	5	3
3	4	2	7	5	1	9	6	8
9	5	7	3	6	8	2	4	1
5	2	3	8	7	4	6	1	9
4	6	9	1	3	5	8	2	7
1	7	8	6	9	2	4	3	5
2	9	4	5	8	3	1	7	6
7	8	5	4	1	6	3	9	2
6	3	1	9	2	7	5	8	4

Solutions!

82

5	7	2	8	3	6	1	4	9
9	3	1	2	7	4	8	5	6
6	8	4	5	1	9	2	3	7
2	6	7	3	5	8	4	9	1
4	9	3	1	6	7	5	2	8
8	1	5	9	4	2	7	6	3
7	4	8	6	2	3	9	1	5
3	5	9	4	8	1	6	7	2
1	2	6	7	9	5	3	8	4

83

7	5	1	4	2	8	3	9	6
3	9	8	1	6	7	4	2	5
4	6	2	3	5	9	1	8	7
9	7	4	2	1	3	5	6	8
1	8	6	5	7	4	2	3	9
5	2	3	8	9	6	7	1	4
2	1	7	9	8	5	6	4	3
6	4	9	7	3	1	8	5	2
8	3	5	6	4	2	9	7	1

84

6	8	9	2	3	1	5	4	7
4	7	2	8	5	9	3	1	6
5	3	1	7	6	4	8	2	9
7	9	6	3	4	8	1	5	2
1	4	8	5	7	2	9	6	3
3	2	5	1	9	6	4	7	8
2	1	7	9	8	5	6	3	4
9	6	3	4	1	7	2	8	5
8	5	4	6	2	3	7	9	1

85

1	4	6	5	7	3	8	9	2
5	8	2	9	1	4	6	3	7
7	9	3	8	2	6	4	1	5
6	3	7	4	9	2	1	5	8
2	5	8	3	6	1	7	4	9
4	1	9	7	5	8	2	6	3
8	7	4	1	3	9	5	2	6
3	6	1	2	8	5	9	7	4
9	2	5	6	4	7	3	8	1

86

8	4	1	5	6	2	9	7	3
9	3	6	8	1	7	5	2	4
5	7	2	9	3	4	8	6	1
7	6	5	1	2	3	4	9	8
2	8	9	4	5	6	1	3	7
3	1	4	7	9	8	2	5	6
4	5	8	6	7	9	3	1	2
6	9	3	2	8	1	7	4	5
1	2	7	3	4	5	6	8	9

87

2	5	4	3	6	1
1	3	6	5	4	2
4	6	2	1	5	3
6	2	1	4	3	5
3	1	5	6	2	4
5	4	3	2	1	6

88

1	4	2	3	5	6
2	5	1	6	4	3
6	3	4	5	2	1
5	6	3	2	1	4
4	2	6	1	3	5
3	1	5	4	6	2

89

5	4	3	2	1	6
2	1	5	6	3	4
3	6	4	1	5	2
6	5	1	4	2	3
1	2	6	3	4	5
4	3	2	5	6	1

90

5	4	6	2	3	1
3	6	5	1	2	4
2	1	4	3	6	5
6	5	3	4	1	2
4	2	1	6	5	3
1	3	2	5	4	6

91

1	2	5	6	3	4
3	4	2	1	6	5
5	6	3	4	2	1
2	1	6	5	4	3
4	3	1	2	5	6
6	5	4	3	1	2

92

6	2	4	1	3	5
3	5	2	6	1	4
4	1	5	3	6	2
5	6	3	2	4	1
2	3	1	4	5	6
1	4	6	5	2	3

93

1	5	6	4	2	3
2	6	1	3	4	5
3	4	5	2	1	6
4	1	3	5	6	2
6	3	2	1	5	4
5	2	4	6	3	1

94

4	3	2	1	5	6
2	6	3	5	1	4
5	1	6	4	2	3
1	2	4	3	6	5
3	5	1	6	4	2
6	4	5	2	3	1

95

2	4	1	3	5	6
1	3	6	5	2	4
6	5	2	4	3	1
3	1	4	2	6	5
4	2	5	6	1	3
5	6	3	1	4	2

96

5	3	1	4	6	2
1	2	5	6	3	4
4	6	2	3	1	5
2	1	3	5	4	6
6	5	4	1	2	3
3	4	6	2	5	1

97

4	6	5	1	2	3
5	2	4	3	1	6
1	3	2	6	4	5
2	1	3	5	6	4
6	5	1	4	3	2
3	4	6	2	5	1

98

6	4	1	5	3	2
2	3	4	6	5	1
1	5	2	3	4	6
4	1	3	2	6	5
3	6	5	1	2	4
5	2	6	4	1	3

99

2	1	3	4	6	5
5	3	2	6	1	4
4	6	1	5	2	3
1	2	5	3	4	6
3	4	6	2	5	1
6	5	4	1	3	2

Solutions!

100

4	6	1	3	5	2
5	3	6	2	4	1
1	2	4	5	6	3
2	5	3	6	1	4
6	4	2	1	3	5
3	1	5	4	2	6

101

4	1	2	6	3	5
3	2	1	5	4	6
5	6	4	3	1	2
1	5	6	4	2	3
6	4	3	2	5	1
2	3	5	1	6	4

102

2	3	5	6	4	1
1	6	4	2	5	3
4	5	3	1	2	6
6	4	2	3	1	5
5	1	6	4	3	2
3	2	1	5	6	4

103

5	3	6	2	1	4	7	8	9
4	8	1	7	3	9	2	5	6
7	2	9	8	5	6	4	3	1
2	7	5	1	4	8	6	9	3
3	9	4	6	2	5	8	1	7
1	6	8	3	9	7	5	2	4
8	5	3	4	6	1	9	7	2
9	4	2	5	7	3	1	6	8
6	1	7	9	8	2	3	4	5

104

5	9	6	7	8	1	2	4	3
2	4	7	3	5	6	8	1	9
1	3	8	4	9	2	7	6	5
8	6	2	9	7	3	4	5	1
3	7	9	1	4	5	6	8	2
4	5	1	6	2	8	3	9	7
9	8	4	5	3	7	1	2	6
7	1	5	2	6	4	9	3	8
6	2	3	8	1	9	5	7	4

105

5	3	6	7	4	2	9	1	8
4	9	1	6	5	8	7	3	2
8	7	2	3	9	1	5	4	6
2	6	5	1	3	4	8	7	9
9	8	3	5	2	7	4	6	1
1	4	7	9	8	6	3	2	5
3	1	4	8	6	9	2	5	7
6	5	8	2	7	3	1	9	4
7	2	9	4	1	5	6	8	3

106

4	1	7	3	8	6	9	2	5
9	2	6	4	1	5	3	7	8
8	3	5	7	9	2	6	4	1
6	5	3	2	7	4	1	8	9
1	4	2	8	5	9	7	3	6
7	8	9	6	3	1	2	5	4
2	6	8	9	4	7	5	1	3
5	9	4	1	2	3	8	6	7
3	7	1	5	6	8	4	9	2

107

6	9	7	2	3	4	8	1	5
3	2	5	7	8	1	6	9	4
8	1	4	5	6	9	7	3	2
1	5	6	9	2	8	3	4	7
4	7	3	6	1	5	9	2	8
9	8	2	4	7	3	1	5	6
7	6	1	3	5	2	4	8	9
5	3	9	8	4	6	2	7	1
2	4	8	1	9	7	5	6	3

108

4	8	2	6	1	5	3	9	7
3	5	9	7	4	2	6	8	1
1	6	7	9	3	8	2	4	5
6	7	3	2	9	4	5	1	8
9	1	5	8	7	3	4	2	6
8	2	4	1	5	6	9	7	3
2	9	1	5	6	7	8	3	4
7	4	6	3	8	9	1	5	2
5	3	8	4	2	1	7	6	9

Solutions!

109

9	7	3	1	5	2	6	4	8
2	6	4	7	3	8	5	1	9
8	5	1	4	9	6	3	7	2
1	4	2	6	8	7	9	5	3
5	3	7	9	2	1	4	8	6
6	8	9	3	4	5	1	2	7
3	1	8	2	6	4	7	9	5
7	2	6	5	1	9	8	3	4
4	9	5	8	7	3	2	6	1

110

7	2	6	8	4	1	9	3	5
8	9	5	7	3	6	1	4	2
1	4	3	5	9	2	8	6	7
6	7	8	3	2	9	5	1	4
3	5	9	4	1	8	7	2	6
2	1	4	6	7	5	3	9	8
9	6	7	2	5	3	4	8	1
5	8	1	9	6	4	2	7	3
4	3	2	1	8	7	6	5	9

111

8	5	7	4	9	6	3	2	1
1	6	9	3	5	2	4	7	8
3	4	2	8	1	7	9	5	6
5	7	1	2	8	9	6	4	3
9	8	3	7	6	4	5	1	2
6	2	4	5	3	1	8	9	7
4	1	6	9	2	3	7	8	5
2	9	8	6	7	5	1	3	4
7	3	5	1	4	8	2	6	9

112

3	9	1	8	7	2	5	6	4
7	2	5	4	6	1	3	8	9
4	8	6	5	9	3	7	2	1
1	7	8	2	4	6	9	5	3
6	4	2	9	3	5	1	7	8
9	5	3	7	1	8	6	4	2
2	3	7	6	8	9	4	1	5
8	1	4	3	5	7	2	9	6
5	6	9	1	2	4	8	3	7

113

8	6	7	1	4	3	2	5	9
5	3	2	9	6	7	1	8	4
9	4	1	5	2	8	3	6	7
2	5	8	6	3	9	7	4	1
3	1	9	4	7	5	8	2	6
6	7	4	8	1	2	5	9	3
4	9	5	7	8	1	6	3	2
7	8	3	2	9	6	4	1	5
1	2	6	3	5	4	9	7	8

114

5	2	3	1	6	7	9	8	4
9	6	4	8	3	2	1	7	5
7	1	8	5	4	9	2	3	6
4	7	6	2	9	3	8	5	1
8	3	9	7	1	5	6	4	2
1	5	2	6	8	4	7	9	3
2	9	1	4	5	8	3	6	7
6	8	5	3	7	1	4	2	9
3	4	7	9	2	6	5	1	8

115

9	6	8	5	2	1	4	3	7
1	5	7	3	6	4	9	8	2
2	3	4	8	9	7	6	1	5
7	2	5	1	4	8	3	9	6
8	1	9	6	3	2	5	7	4
6	4	3	7	5	9	8	2	1
3	8	2	4	7	6	1	5	9
5	9	6	2	1	3	7	4	8
4	7	1	9	8	5	2	6	3

116

8	7	3	6	1	2	5	9	4
9	6	5	3	8	4	1	2	7
4	1	2	5	7	9	8	3	6
1	2	6	8	9	7	4	5	3
3	4	9	2	5	6	7	1	8
7	5	8	4	3	1	2	6	9
6	9	7	1	4	5	3	8	2
2	8	1	7	6	3	9	4	5
5	3	4	9	2	8	6	7	1

117

2	5	7	8	6	1	9	3	4
8	4	6	9	3	7	5	2	1
9	3	1	2	4	5	7	6	8
4	6	3	7	5	2	8	1	9
7	8	9	6	1	3	4	5	2
5	1	2	4	8	9	3	7	6
3	2	4	1	7	8	6	9	5
1	7	8	5	9	6	2	4	3
6	9	5	3	2	4	1	8	7

Solutions!

7	2	6	9	1	8	3	4	5
5	8	9	6	3	4	7	1	2
1	3	4	5	7	2	9	8	6
6	7	5	1	4	9	8	2	3
2	4	3	7	8	6	1	5	9
8	9	1	2	5	3	6	7	4
9	5	7	4	6	1	2	3	8
4	6	8	3	2	7	5	9	1
3	1	2	8	9	5	4	6	7

118

4	6	8	9	7	5	3	2	1
3	9	1	2	6	8	5	7	4
2	7	5	3	4	1	8	6	9
6	1	9	8	5	7	4	3	2
5	4	3	1	2	9	6	8	7
8	2	7	4	3	6	1	9	5
7	3	6	5	9	4	2	1	8
9	8	4	6	1	2	7	5	3
1	5	2	7	8	3	9	4	6

119

128